SA FEMME

EMMANUÈLE BERNHEIM

SA FEMME

roman

GALLIMARD

On lui avait volé son sac.
Comme chaque matin, elle prenait son petit déjeuner
au comptoir. Elle mangeait ses tartines, elle buvait
son café, son sac était posé par terre, à ses pieds.
Elle le serrait entre ses chevilles. Et il avait disparu.
On le lui avait volé et elle n'avait rien senti. Les
autres consommateurs n'avaient rien remarqué, le
patron du café non plus. Personne n'avait rien vu.

Claire prit un double de ses clefs chez la gardienne
et monta l'escalier sans attendre l'ascenseur.
Elle signala tout d'abord le vol de sa carte de crédit
puis elle téléphona à un serrurier qui lui promit de
venir changer sa serrure à midi.
Dès qu'elle eut raccroché, elle se détendit. Ce n'était
pas si grave. Il y avait peu d'argent dans son portefeuille et elle n'avait pas emporté son chéquier.
Quant à son carnet de rendez-vous, il était là, sur
le bureau, à côté du téléphone.

Elle alluma la lampe de l'entrée-salle d'attente et mit de l'ordre dans la pile de magazines. Il était neuf heures moins cinq, le premier patient de la matinée ne tarderait pas à arriver.

Le vieil homme suivait un traitement antibiotique qui avait provoqué une candidose. Sa langue était noire. Claire l'examinait lorsque la sonnerie de la porte retentit. Elle alla ouvrir. C'était un homme jeune. Il souriait. Elle le pria de patienter et regagna rapidement la salle d'examen. Au passage, elle jeta un coup d'œil machinal sur son carnet de rendez-vous. Elle fronça les sourcils. Le malade suivant était une femme. Alors qui était l'homme qu'elle avait fait entrer ? Sans doute un cas urgent. Elle retourna auprès de son patient et lui palpa le ventre. La candidose n'avait pas gagné le tube digestif. Soudain Claire s'immobilisa. L'inconnu sifflait. Il sifflait fort. Et joyeusement. Il n'était pas malade. Aucun malade ne sifflerait ainsi dans la salle d'attente.
C'était peut-être l'homme qui avait volé son sac. C'était sûrement lui. Il n'avait trouvé que deux cents francs dans le portefeuille de Claire. Ce n'était pas assez. Il avait vu ses papiers d'identité, il savait qu'elle était médecin et il voulait l'argent des consultations. Et il attendait qu'elle soit seule. Pendant que le vieil homme se rhabillait, Claire entrouvrit un tiroir de son bureau. Sa main se referma sur le

petit corps froid d'un vaporisateur de gaz lacrymo-
gène. Elle le glissa dans sa poche.

L'inconnu cessa brusquement de siffler.

Quand Claire raccompagna son patient jusqu'à la
porte d'entrée, l'homme avait disparu.

Elle s'adossa à la porte, respirant profondément. C'est
alors qu'elle découvrit, posé sur un coussin, bien en
évidence au milieu du canapé, son sac, son sac volé.

Seuls manquaient l'argent et la carte Bleue.

Claire décommanda le serrurier. Et elle s'apprêta à
accueillir la malade suivante, une otite.

Il était huit heures. Comme chaque soir, après sa dernière consultation, Claire s'attarda dans son cabinet.

Elle resta à contempler la minuscule salle d'examen, l'acier brillant des étriers de la table, les instruments et les flacons bien alignés dans le meuble vitré. Elle s'assit dans l'un des deux fauteuils destinés aux patients et elle regarda autour d'elle comme le ferait un malade venant pour la première fois. Les affiches encadrées, les lampes, la bibliothèque, le tapis, tout lui plaisait.

Claire ferma les yeux. Elle était heureuse. Le temps fraîchissait. Bientôt les grippes, les angines et les bronchites se multiplieraient.

L'automne et l'hiver étaient ses saisons préférées.

L'appartement avait été divisé en deux parties. Le cabinet en occupait la plus grande, et Claire vivait dans la plus petite.

La porte de communication était entrouverte. Claire soupira. Michel était déjà là.

Elle l'avait quitté deux ans auparavant pour vivre seule mais ils se voyaient plusieurs fois par semaine. Et Michel possédait un double de ses clefs.

Elle entra sans bruit. Allongé sur le lit, il ne lisait pas. Il ne regardait pas la télévision, il ne dormait même pas. Il ne faisait rien. Il l'attendait.

Elle toussota. Il la vit, se leva et vint l'embrasser. Puis, comme à son habitude, il la dévisagea.

– Tu as l'air fatigué.

Et il lui fit couler un bain.

Claire habitait une unique pièce aux murs blancs et nus. Un panneau coulissant dissimulait le coin cuisine. Les placards et la penderie se trouvaient dans la salle de bains.

Elle se laissa glisser dans l'eau chaude.

Elle entendit des glaçons tinter dans un verre. Michel chantonnait. Claire savait qu'il était toujours content quand elle paraissait fatiguée ou préoccupée, ou triste. Il la croyait alors plus proche de lui.

Même au téléphone elle percevait son intonation satisfaite lorsqu'il remarquait qu'elle avait une petite voix.

Elle sortit de son bain et se sécha vigoureusement. Demain, elle rappellerait le serrurier. Elle lui dirait qu'elle avait réfléchi et que, bien qu'elle eût retrouvé

11

ses clefs, elle préférait faire changer sa serrure, par sécurité.

Elle aurait de nouvelles clefs. Et cette fois elle ne les donnerait pas à Michel.

Le serrurier avait travaillé proprement, sans érafler la peinture de la porte. Il avait laissé trois jeux de clefs. Claire en accrocha un à son porte-clefs, elle confia le second à la gardienne et rangea le troisième dans un tiroir de son bureau.

Elle passa la soirée seule.
Son frigidaire était plein. Claire fit une grimace. Il restait encore des côtes de porc.
Elle avait ouvert son cabinet deux ans plus tôt et, après une première année difficile, elle avait décidé de se lier avec les commerçants du quartier. Bien qu'elle eût peu d'argent, elle faisait les courses tous les jours. À présent, les commerçants et leurs clients la connaissaient. Dans les boutiques, et parfois même dans la rue, ils lui racontaient leurs maladies et elle les écoutait attentivement. Et ils venaient la consulter. Elle avait ainsi réussi à s'assurer une clientèle régulière.

Mais les provisions s'accumulaient. Elle dînait tous les soirs chez elle et invitait souvent des amis afin de ne rien gâcher.

Elle fit cuire une côte de porc.

Comme chaque nuit elle dormirait mal car, dans cette unique pièce, les odeurs de cuisine imprégnaient jusqu'aux draps du lit.

Claire s'éveilla en sursaut. Les vitres tremblaient. Le plancher vibrait. Son réveil sonna, elle l'entendit à peine tant il y avait de bruit. Elle se leva et ouvrit les volets. Des habitants de la rue, en pyjama ou en chemise de nuit, étaient à leur fenêtre.

Quelques années plus tôt, un incendie avait détruit un immeuble voisin. Les travaux de reconstruction commençaient.

Le bruit ne la dérangerait pas trop. Son cabinet donnait sur la cour. Et elle achèterait des boules Quiès.

Comme chaque jour à midi, Claire sortit faire les courses. Devant la grande palissade qui masquait le chantier, trois hommes discutaient. Deux d'entre eux s'éloignèrent. Le troisième resta seul. Claire crut alors reconnaître l'homme qui lui avait rapporté son sac. Il disparut dans le chantier.

Elle s'arrêta devant une petite porte pratiquée dans

la palissade. « Chantier interdit au public », « Port du casque obligatoire ». Sur la chaussée, des cônes rouges et blancs interdisaient le stationnement. Claire hésita. Puis elle ouvrit la petite porte. Elle la referma derrière elle.

L'intérieur de l'immeuble brûlé se déversait dans des bennes. Fenêtres brisées, volets calcinés, matelas éventrés, appareils ménagers rouillés gisaient au milieu des gravats. Le vacarme était assourdissant. Chaque coup de masse faisait cligner les yeux. La poussière rendait l'air irrespirable. Soudain un homme apparut dans une ouverture de la façade. Il cria quelque chose à Claire. Elle ne put rien entendre. Il fit alors de grands gestes véhéments et elle comprit qu'il lui demandait de sortir. Elle se tourna vers la palissade mais ne retrouva pas la porte. Brusquement le silence se fit. Claire porta la main à ses oreilles, elle se crut devenue sourde. Mais elle entendit rouler quelques gravats et elle fut rassurée.
Un homme surgit de l'immeuble. Il portait un casque jaune et un masque de chirurgien. En traversant la cour, il retira son casque et abaissa son masque. Il souriait. C'était bien lui. Son front et ses sourcils étaient gris de poussière. Il ébouriffa ses cheveux aplatis par le casque. Claire lui sourit à son tour.
Elle s'excusa de le déranger, elle voulait simplement le remercier pour le sac.

16

Il l'avait trouvé là, par terre, juste derrière la palissade.

Il posa sa main sur la poignée de la porte. Claire le remercia encore. Il ouvrit la porte. Elle allait sortir. Il lui tapota le dos. Elle se retourna.

— Il y avait de la poussière sur votre veste.

Elle se sentit rougir. Elle dit encore : « Merci » et elle quitta le chantier.

Pendant un instant, elle ne sut plus où elle était. Enfin, elle reconnut sa rue. Elle se crut en retard et courut vers son immeuble. Dans l'ascenseur, elle regarda sa montre. Il était à peine plus de midi. Elle n'était restée que quelques minutes de l'autre côté de la palissade.

Elle appuya sur le bouton « Rez-de-chaussée » et alla faire ses courses.

À la pharmacie, il n'y avait déjà plus de boules Quiès.

Les patients se succédèrent jusqu'au soir. Après la dernière consultation, Claire se laissa tomber dans l'un des fauteuils. Elle se déchaussa et remarqua la poussière sur ses chaussures. Elle revit alors le front poudreux de l'homme du chantier. Elle passa ses doigts sur le cuir. Puis elle frotta lentement son pouce contre son index. C'était doux.

Des coups de sonnette la firent sursauter. Elle n'avait pas prévenu Michel du changement de serrure. Elle prétendrait n'avoir encore qu'un jeu de clefs. Elle lui ouvrit la porte. Il la regarda à peine. Elle voulut parler mais renonça. Il ne l'écouterait pas. Il savait déjà qu'elle allait mentir.

Ils mangèrent les dernières côtes de porc, et se quittèrent tôt.

Elle sortait de la boucherie lorsqu'elle l'entendit. Du trottoir opposé, il lui criait : « Docteur. » Il traversa la rue en courant, prit Claire par le bras et l'entraîna vers un café. Elle se laissa faire. Son sac à provisions ballottait entre eux.

Il s'appelait Thomas Kovacs. Il était entrepreneur. Elle le questionna sur l'immeuble en construction. Il mit trois sucres dans son café. Il bougeait sans cesse. Il appuyait ses coudes sur la table puis il se rejetait contre le dossier de sa chaise et étirait ses bras derrière lui. À deux reprises, il se retourna pour s'excuser car il avait heurté quelqu'un. Claire l'observait sans parvenir à l'écouter. Il avait sans doute quarante-deux ou quarante-trois ans. Avec sa cuillère, il racla le dépôt de sucre au fond de sa tasse. Soudain, il saisit le poignet gauche de Claire pour voir l'heure à sa montre. Il devait partir. Il fit un signe au serveur, paya et se leva. Il se pencha vers

19

elle. Il parut s'immobiliser. Ses yeux brillaient. Il la regardait. Puis il dit : « À demain », et il disparut.

Claire rentra chez elle. Elle avait l'impression de marcher au ralenti.
Dans sa main droite, elle serrait un morceau de sucre. Elle ne le jeta pas.

C'était samedi. Le week-end, les travaux s'interrompaient. Claire ne verrait pas Thomas Kovacs.

Elle ouvrit le premier tiroir de son bureau et y plongea la main. Elle en sortit quatre sucres. Elle les aligna, les contempla.

Chaque sucre correspondait à un rendez-vous avec lui, au café, à midi.

Elle travailla jusqu'à cinq heures et Michel vint la chercher. Ils étaient invités à la campagne.

La soirée fut gaie. Claire était de bonne humeur. Michel ne la quittait pas des yeux. Quand elle rencontrait son regard, elle se détournait aussitôt et continuait à rire avec les autres. Il fut le premier à aller se coucher. Elle le regarda monter lentement l'escalier.

Il avait éteint la lumière. Claire traversa la chambre à tâtons et se glissa entre les draps. Elle se recroquevilla au bord du lit, pour ne pas sentir le souffle de Michel, pour ne pas effleurer son grand corps. Il dormait. Il respirait avec difficulté, par la bouche, comme s'il avait le nez pris. Il reniflait doucement. Elle perçut alors, répercutés par le matelas, des petits soubresauts. Michel ne dormait pas. Il n'était pas enrhumé. Il pleurait. Claire ne fit pas un geste vers lui. Elle ne bougea pas.

Il rentra à Paris après le petit déjeuner.

Claire se promena seule dans la forêt. Elle fit craquer des branches mortes sous ses pieds et elle pataugea dans la boue. Elle se rendit compte qu'elle chantait à tue-tête.
Au déjeuner, elle mangea beaucoup.

À peine arrivée chez elle, elle débrancha la grande lampe halogène, un cadeau de Michel. Elle la rangea dans la penderie. Elle n'aimait pas sa lumière blanche.
Elle écouta les messages sur son répondeur. Michel n'avait pas appelé.
Le frigidaire était presque vide. Depuis qu'elle voyait Thomas Kovacs à midi, elle n'avait plus le temps de faire les courses. Claire regarda autour d'elle. Pour la première fois, sa pièce lui plut.
C'était chez elle.

Le lundi, il ne vint pas au rendez-vous.

Après l'avoir attendu, Claire s'attarda devant la palissade du chantier. Il n'y avait aucun bruit, c'était l'heure du déjeuner. Elle n'osa pas pousser la petite porte.

Elle remonta chez elle, prit sa sacoche noire et ressortit. Ses mains étaient froides. Il lui faudrait les réchauffer avant d'examiner son patient. Les deux cafés qu'elle avait bus en attendant Thomas Kovacs lui donnaient des brûlures d'estomac. Elle entra dans une boulangerie et se vit dans la glace. Elle avait trente ans mais elle essayait de paraître davantage. Les jeunes médecins n'inspirent pas confiance. Elle portait un tailleur gris et se maquillait à peine. Elle était grise. Et c'était ainsi que Thomas la voyait. Elle quitta la boulangerie sans rien acheter.

Dès qu'elle pénétra dans la chambre, Claire se détendit. La pièce était bien chauffée et les volets et la fenêtre, fermés, étouffaient les bruits de la rue. Elle s'approcha du lit et ausculta le malade. « Respirez à fond », « Ouvrez grand la bouche », Claire parlait à mi-voix, la pièce était si calme. Des draps montait un parfum d'adoucissant textile.

Elle jeta l'abaisse-langue dans une corbeille à papiers et rangea ses instruments. C'était la grippe. Elle s'assit pour rédiger l'ordonnance. Elle écrivit lentement. Elle prenait son temps. Elle profitait du calme et de la chaleur de la pièce.

Claire ne se sentait jamais aussi bien que dans une chambre de malade.

Le lendemain, les doigts de Claire rencontrèrent les sucres rangés dans le tiroir. Elle se rappela alors le large sourire de Thomas, son cou lorsqu'il renversait la tête en arrière pour boire les dernières gouttes de son café sucré. Elle sentait encore la chaleur de sa main quand il lui prenait le poignet pour lire l'heure. Et au dernier rendez-vous, vendredi, ses cheveux châtains paraissaient gris tant ils étaient poussiéreux.

Elle prit les sucres et les jeta dans sa corbeille à papiers. À quoi bon les garder? Elle ne reverrait jamais Thomas Kovacs.

À midi, elle ne sortit pas de chez elle.

La nuit tombait. Claire prenait la tension d'un jeune homme lorsque le téléphone sonna. Elle décrocha. Elle reconnut tout de suite la voix de Thomas. Il voulait la voir, dès qu'elle le pourrait. Ce soir. Elle avait encore deux patients. Il l'attendrait dans un bar, près de chez elle.

Claire ouvrit sa penderie. Elle possédait peu de vêtements. Ils étaient presque tous gris, le gris va avec tout. Elle referma aussitôt la porte. Dans le sac à linge sale, elle prit le jean qu'elle portait à la campagne. De la boue avait séché au bas des jambes. Claire gratta et frotta, des traces brunes demeuraient. Elle mit quand même son jean et enfila un pull-over bleu marine et des chaussures de tennis. Enfin, elle se maquilla. Elle se regarda dans la glace. Elle n'était pas grise.

Elle descendit vite l'escalier. Elle allait pousser la porte de l'immeuble lorsqu'elle se figea. Elle remonta chez elle en courant et se précipita dans son cabinet. Elle fouilla la corbeille à papiers, en sortit les quatre sucres. Elle les remit dans le tiroir du bureau. Un peu plus tard dans la soirée, la gardienne viendrait faire le ménage. Elle viderait les poubelles. Et Claire n'aurait jamais retrouvé les sucres.

Elle claqua la porte et dévala l'escalier.

Lorsqu'il la vit, Thomas ne sourit pas. Il ne se leva pas. Il ne bougea pas. Claire s'assit en face de lui. Sur la table, pas de verre ni de tasse, pas même un dessous de verre en papier. Thomas n'avait rien bu.

Le barman apparut aussitôt. Elle commanda un Bloody Mary, Thomas ne voulait rien. Il restait silencieux. Elle n'osa pas parler la première car soudain elle ne parvenait plus à se rappeler s'ils se tutoyaient ou s'ils se vouvoyaient. Le barman lui apporta tout de suite son cocktail. Elle fixa son verre, en mélangea longuement le contenu avec une petite canne de golf en plastique jaune. Elle cherchait une phrase sans « tu » ni « toi » ni « vous ».
Brusquement Thomas lui saisit le poignet, le poignet droit, pour immobiliser la petite canne. Il se pencha vers Claire. Il avait quelque chose de très important à lui dire.
Il lui serra fort le poignet.
Il n'était pas venu au rendez-vous, non qu'il ne souhaitât pas la voir. Au contraire. Il voulait la voir sans arrêt, tous les jours. Mais il ne pouvait pas. Il ne devait pas.
— Pourquoi?
— Parce que j'ai une femme et deux enfants. Je ne les quitterai jamais. Et je ne veux pas te faire souffrir.
Claire ne dit rien. Il lâcha son poignet. Elle ne déplaça pas son bras. Il restait sur la table, inerte. Sa peau, rendue chaude par la main de Thomas, se refroidissait déjà.
Même si elle n'avait rien à attendre de lui, elle continuerait à le voir.
Il sourit enfin. Le blanc de ses yeux était très blanc.

Il paya le barman et se leva. Il devait rentrer chez
lui.
Ils sortirent du bar. Il embrassa Claire sur les lèvres,
très rapidement. Elle le regarda s'éloigner. Il courait
presque. Elle aurait aimé voir sa voiture mais il
disparut au coin d'une rue.

Claire alla rejoindre des amis dans un restaurant.
Elle sifflotait en marchant.
Elle avait emporté la petite canne de golf jaune.

Le lendemain, en sortant du café, ils restèrent un instant face à face. De la buée s'échappait des lèvres entrouvertes de Thomas, et son haleine sentait le café. L'intérieur de sa bouche devait être chaud et avait sûrement le goût du café sucré. Ils ne s'embrassèrent pas. Deux ouvriers du chantier, debout au comptoir, les observaient à travers la vitre. Et sur le trottoir opposé, une vieille femme assise sous un abribus souriait à Claire. C'était une de ses patientes.

Ils s'écartèrent l'un de l'autre.

Ils décidèrent de ne plus se retrouver au café, mais chez Claire, le soir, après ses consultations.

Thomas viendrait à huit heures.

Claire regardait fixement la pendule de son cabinet. Il était huit heures moins vingt, sa dernière patiente avait dix minutes de retard.

Elle arriva enfin. Elle était très pâle et paraissait souffrir. Elle s'assit précautionneusement dans l'un des deux fauteuils et reposa en grimaçant son bras gauche sur l'accoudoir.

Claire la questionna. Elle avait trente ans et était caissière au supermarché voisin. À force de répéter sans cesse le même geste du bras gauche, faire glisser chaque article sur le lecteur de codes-barres, elle ressentait de terribles douleurs qui descendaient du cou jusqu'à la main. Et chaque jour elle souffrait davantage. Elle ne put se déshabiller seule. Claire l'aida avec douceur et l'examina.

Névralgie cervico-brachiale. Elle prescrivit un anti-inflammatoire et un analgésique. Et une radiographie du rachis cervical. Elle lui donna un arrêt de travail de dix jours.

La jeune femme demanda à rester dans la salle d'attente car son mari allait venir la chercher pour la ramener en voiture. Ils habitaient loin.

Claire l'installa sur le canapé et lui cala le dos avec des coussins.

La sonnette retentit. C'était Thomas.

Elle le fit entrer dans sa pièce et referma la porte derrière lui. Elle posa des magazines tout à côté de sa patiente et rejoignit Thomas.

Ils chuchotaient. Ils se regardaient, ils se souriaient. Mais ils ne s'embrassèrent pas. Claire guettait les bruits de la salle d'attente. Elle n'entendait rien, pas même le léger froissement des pages d'un magazine. Rien. La jeune femme ne lisait pas. Elle devait être assise sur le canapé, dans la position où Claire l'avait laissée, toute droite, immobile, n'osant pas bouger de peur de réveiller la douleur.

Son mari ne vint la chercher qu'à huit heures et demie.
Thomas partit quelques minutes plus tard.
Claire resta seule.
Dorénavant, elle ne prendrait plus de patients après sept heures.

Qu'il s'allongeât sur elle ou qu'elle s'allongeât sur lui, leurs bouches ne se quittèrent pas.

Si le bras droit de l'un s'échappait de leurs corps mêlés, le bras gauche de l'autre venait aussitôt le recouvrir.

Ils étaient presque de la même taille. Ainsi, des orteils au front, Thomas collait à Claire, et Claire collait à Thomas.

Il se rhabilla. Elle resta couchée.

Il se pencha sur elle et l'embrassa encore.

Puis il disparut.

Claire entendit une voiture démarrer. Elle se précipita à la fenêtre mais ne vit rien.

Les pare-chocs, les ailes et le bas des portières de la voiture de Thomas devaient être maculés par la boue des chantiers. Et c'était sûrement une voiture à quatre portes, pour les enfants.

La pièce lui parut soudain très silencieuse. Il n'y avait rien à ranger. Pas de verre à rincer car Thomas n'avait rien bu, pas de serviette humide à faire sécher car il ne s'était pas lavé. Aucune trace de Thomas. Seul le couvre-lit était un peu froissé. Claire vit alors, à côté du lit, une pochette de papier doré, déchirée. Elle la ramassa et sourit. Dans la salle de bains, elle appuya son pied sur la pédale de la poubelle. Le couvercle se souleva. Au fond de la poubelle presque vide gisait une petite chose ronde et luisante. Claire s'agenouilla et la prit dans sa main. C'était le préservatif qu'avait utilisé Thomas.

Elle le remit dans sa pochette déchirée. Et elle le rangea dans le tiroir de son bureau, avec les sucres et la canne de golf.

Elle ne dînerait pas chez elle. Elle n'avait pas remplacé la lampe halogène de Michel. La pièce était sombre.

Elle alla dîner seule dans une brasserie illuminée.

Les serveurs s'empressaient autour d'elle et elle plaisanta avec eux.

Les frites étaient si bonnes qu'elle en commanda une seconde portion.

Claire se réveilla courbatue.

Dès qu'elle marchait, chacun de ses muscles devenait sensible. Alors elle se levait sans cesse.
Pendant toute la journée, elle s'efforça ainsi de sentir ses courbatures.
Elle écoutait le bruit des travaux. Parfois, dans le vacarme, une voix tentait de se faire entendre. C'était peut-être Thomas.

À midi, elle acheta du champagne, du pastis et des jus de fruits. Elle avait déjà du whisky et de la bière, apportés par Michel.
Thomas pourrait choisir.

Avant qu'il n'arrivât, elle prit l'une des lampes de son cabinet qu'elle brancha dans sa pièce. Elle la remplaça par celle de Michel.

Dès qu'il entra, Thomas enlaça Claire.
Ils ne burent rien.

Il s'en alla. Claire approcha son visage de l'oreiller
où il avait posé sa tête et renifla. Elle ne retrouva
pas l'odeur de Thomas. Elle ne sentit rien.
Elle se leva, alluma la télévision et monta le son.
Elle s'aperçut alors qu'elle serrait machinalement
ses cuisses l'une contre l'autre. C'était inutile. À
cause du préservatif, le sperme de Thomas ne cou-
lerait pas entre ses jambes.
Ses courbatures avaient disparu.
Elle demeura un instant immobile au milieu de la
pièce.
Soudain elle se ressaisit. Elle s'empara de son répertoire. Elle allait appeler tous ses amis, même ceux
qu'elle ne voyait plus depuis longtemps.
Elle sortirait tous les soirs et elle ne resterait plus
seule après le départ de Thomas.
Elle feuilleta son carnet. À la lettre K, elle s'arrêta,
contempla les noms qui y figuraient. D'une écriture
appliquée, elle inscrivit KOVACS Thomas. Elle se
recula légèrement. Deux fois six lettres. Le o et le A
du prénom répondaient à ceux du nom. Thomas
Kovacs. Ça sonnait bien.
Elle prit l'annuaire. Elle trouva une quarantaine de
Kovacs mais aucun Thomas.
Il habitait probablement en banlieue. Une maison
avec un jardin. Il l'avait construite lui-même ou

alors il s'était contenté d'y faire des travaux. Il avait bâti un garage pour sa voiture et pour celle, à deux portes, de sa femme. Ils y rangeaient aussi leurs quatre bicyclettes, alignées contre le mur, de la plus grande à la plus petite.

Claire referma l'annuaire, consulta son répertoire et décrocha le téléphone. Elle veillerait à ne pas prendre de rendez-vous à dîner avant neuf heures.

Le samedi, après ses consultations, Claire décida de s'acheter du parfum.

Dans un grand magasin, elle alla de stand en stand, identifiant parfois l'odeur d'une de ses patientes. Lorsqu'elle commença à avoir la migraine, elle choisit une eau de toilette qui lui parut assez légère.

Elle acheta aussi un chandail noir et une jupe noire, courte. Aussitôt sortie du magasin, elle regretta cet achat. Thomas ne prêtait aucune attention aux vêtements de Claire. Il n'en avait pas le temps. Dès qu'il arrivait, il la serrait contre lui. Ils traversaient la salle d'attente en s'embrassant, tellement enlacés qu'ils se marchaient sur les pieds, qu'ils trébuchaient même. Ils en riaient, dents contre dents. Enfin ils essayaient de se déshabiller sans cesser de s'embrasser. Elle ne se rhabillait qu'après le départ de Thomas.

Alors quand et comment remarquerait-il ce qu'elle portait?

Michel insistait pour l'aider à choisir ses vêtements. Jamais elle n'avait écouté son avis. Il lui conseillait toujours ce qui lui allait le plus mal. Il souhaitait sans doute qu'elle ne plût à aucun autre homme que lui.

Une fois rentrée chez elle, elle se parfuma et passa ses nouveaux vêtements. Le téléphone sonna. Dès qu'elle reconnut la voix de Michel, Claire tira malgré elle sur sa jupe noire pour couvrir ses cuisses. Il s'excusait de son silence. Il avait beaucoup réfléchi et il devait absolument la voir et lui parler. Elle accepta de déjeuner avec lui le lendemain.
Lorsqu'il eut raccroché, elle commença à dégrafer sa jupe. Soudain elle se ravisa, et remonta la fermeture éclair.
Elle était libre de porter ce qu'elle voulait.

Elle dîna chez Marie, sa meilleure amie.
Marie avait accouché deux mois plus tôt mais elle était redevenue aussi mince qu'avant sa grossesse. Claire se rendit dans la chambre de l'enfant. Bernard, le père, était penché sur le berceau. Il ne leva pas la tête lorsque Claire entra. Il chantonnait ou murmurait. Elle l'observa. Il ne s'apercevait toujours pas de sa présence.
Quel âge avaient les enfants de Thomas? Ils étaient sans doute tout petits et, en ce moment même, Thomas leur racontait une histoire ou il leur chantait

une berceuse, une berceuse hongroise. Et il n'écoutait rien que leur souffle léger, il ne voyait rien que leurs yeux qui se fermaient.

Claire s'empara d'une poupée musicale et tira sur la cordelette. En entendant la musique, Bernard se redressa.

– Il dort.

Ils sortirent de la chambre.

Elle rejoignit Marie dans la cuisine. Il y avait des biberons partout.

Claire ne lui parlerait pas de Thomas.

Michel remarqua tout de suite l'absence de sa lampe halogène. Claire le fit entrer dans son cabinet, il la vit et parut rassuré. Mais de retour dans la pièce, il s'assit sur le lit et regarda autour de lui, à la recherche du moindre changement. Elle suivait son regard. Il ne trouverait rien car rien n'avait changé. Pas même Claire. Elle ne s'était ni maquillée ni parfumée. Elle portait des vêtements qu'il connaissait et son visage était sans éclat, elle le sentait, comme chaque fois qu'elle voyait Michel.

Il toussota. Il allait lui parler. Mais avant, il se leva pour prendre quelque chose à boire. Claire eut alors un léger sourire. Elle se rendit dans la salle de bains, laissa la porte entrouverte. Et écouta.

Il ouvre le panneau coulissant. Puis la porte du frigidaire. Derrière les yaourts et le beurrier, il trouve une bière. Pschitt. Il vient de tirer sur l'anneau de la cannette. Il découvre les jus de fruits. Cela l'étonne car Claire n'en boit jamais. Maintenant, il voit la

bouteille de champagne. Pourtant Claire n'aime pas
ça. On la lui a sans doute apportée. La porte du
frigidaire se referme. Il s'empare d'un verre au-
dessus de l'évier. Sur l'étagère voisine, il remarque
le pastis. Silence.
Il rabat lentement le panneau coulissant.
Il a compris.
Claire sortit de la salle de bains.
Michel ne lui posa pas de questions. Et il ne lui dit
pas ce qu'il avait à lui dire.

Ils déjeunèrent au restaurant. Michel se détendit.
Elle l'observait. Il semblait même soulagé. Il savait
à présent que leur histoire était terminée.

Claire raccompagna son dernier malade de la journée. Elle appuya sur le bouton de la minuterie et appela l'ascenseur. Le patient entra dans la cabine. La porte métallique se referma sur lui. Un bruit fit sursauter Claire. Elle se retourna. Thomas était assis sur une marche de l'escalier. Ses yeux brillaient. Il se leva d'un bond et l'enlaça. Il la serra contre lui et lui parla doucement. Elle lui avait manqué pendant ces deux jours et sa hâte de la revoir était telle qu'il l'avait attendue là, dans le noir, espérant qu'elle finirait de travailler plus tôt que prévu. Soudain, il s'écarta d'elle. Il rappela l'ascenseur. Aujourd'hui, il préférait aller au café. Claire rentra vite prendre son sac et son manteau.

Elle regrettait de ne pas porter ses vêtements neufs car, au café, Thomas aurait le temps de la regarder.

Ils s'assirent face à face. Elle commanda un whisky. Thomas n'avait pas soif. Il ne disait rien. Il la regardait à peine. Et pourtant tout à l'heure, il paraissait si heureux de la retrouver. Il se mit à frotter une tache de peinture sur sa main gauche. Lorsqu'elle eut disparu, il leva les yeux sur Claire et lui sourit enfin. Il se rapprocha de la table jusqu'à ce que leurs genoux se rencontrent. Il lui posa des questions sur son travail. Elle aimait en parler, et en parla long-temps. Il l'écoutait sans la quitter du regard.

Elle but son whisky et brusquement, presque malgré elle, elle lui demanda quel était le métier de sa femme. Elle le vit hésiter.

– Elle est architecte.

Puis il regarda l'heure au poignet de Claire. Il devait rentrer.

Ils se séparèrent devant chez elle. Il l'embrassa sur les lèvres, très vite.

Elle se laissa tomber sur le lit. Pourquoi vouloir aller au café alors qu'il l'avait attendue avec tant d'impatience ? Et elle n'aurait jamais dû lui poser cette question sur sa femme. Il ne souhaitait pas parler de sa famille, c'était évident. Il ne voulait pas faire souffrir Claire.

Mais s'il décidait de ne pas revenir, de ne plus la revoir ?

Elle plongea son visage entre ses mains. Impossible. Au café, les genoux de Thomas se pressaient si fort contre les siens que la trame fine de ses collants s'était sûrement imprimée sur sa peau.

Elle le reverrait. Elle en était certaine.

Elle inspira profondément. Bien qu'elle se fût lavé les mains à d'innombrables reprises au cours de la journée, l'odeur de son eau de toilette persistait sur ses poignets.

Claire se redressa. Elle avait compris. Thomas s'était écarté d'elle à cause de son parfum. Il craignait que l'odeur n'en imprégnât ses vêtements, et sa peau. Sa femme l'aurait bien sûr sentie. C'était pour cela qu'il avait emmené Claire au café.

Claire ne s'était pas trompée.

Elle ne se parfuma plus. Et Thomas ne l'emmena plus au café.

La femme de Thomas avait sans doute dessiné la maison, et il l'avait construite.

Au rez-de-chaussée, la salle de séjour, vaste, très claire, une cuisine avec une table immense, et pas de salle à manger. Non, la salle de séjour et la cuisine n'étaient pas séparées. Elles formaient une seule grande pièce. Ainsi, lorsqu'ils recevaient, la femme de Thomas pouvait préparer le repas tout en prenant part à la conversation.

Elle faisait sûrement très bien la cuisine et leurs amis aimaient venir dîner chez eux. Chez les Kovacs.

Quelle que soit l'heure à laquelle il arrivait, Thomas restait une heure et quart chez Claire. Jamais plus, rarement moins.

Un jour, elle débrancha son magnétoscope et sa cafetière électrique et dissimula son réveil dans le tiroir de la table de nuit. Ainsi Thomas n'aurait plus aucun moyen de connaître l'heure et il resterait plus longtemps.

Lorsqu'il sonna à la porte, avant d'aller lui ouvrir, Claire regarda l'heure à sa montre et la rangea dans son sac.

Il était huit heures moins vingt-cinq.

Ils étaient allongés côte à côte.

Claire écoutait le souffle de Thomas. Pour la première fois, oubliant l'heure, il s'endormirait peut-être auprès d'elle. Elle ne bougeait pas. Sa peau devenait moite aux endroits où leurs corps se touchaient. Elle ferma les yeux. Ils passeraient la nuit ensemble et, demain, ils prendraient leur petit déjeuner ensemble. Thomas mangeait sûrement beaucoup le matin. Elle avait des œufs, du fromage et deux tranches de jambon. Cela suffirait. Elle n'ouvrirait pas la fenêtre, et toute la journée l'appartement sentirait le pain grillé.

Thomas se serra contre elle et l'embrassa doucement. Puis il s'écarta d'elle et se leva.

Lorsqu'il referma derrière lui la porte d'entrée, il était neuf heures moins dix.

Thomas était resté chez elle une heure et quart, une heure et quart pile.

Claire ne débrancherait plus ses appareils.

Désormais le réveil demeurerait sur la table de nuit, et la montre à son poignet.

Claire alluma sa lampe de chevet. Il était six heures et demie du matin.

En ce moment, Thomas prend sans doute son petit déjeuner. C'est probablement lui qui a préparé le café. Sa femme le rejoint. Elle porte la robe de chambre de son mari, trop grande pour elle. Ses longs cheveux sont tout ébouriffés. Thomas lui sourit. Il la trouve belle. L'un des enfants entre dans la cuisine. Sa mère le gronde car il est pieds nus. Il grimpe sur les genoux de son père. Thomas prend les deux pieds du petit dans une seule de ses mains et les réchauffe. Il s'apprête à mettre ses trois sucres dans son café, quatre peut-être car les tasses du petit déjeuner sont plus grandes. L'enfant l'arrête. Il veut les mettre lui-même. Il les lâche de trop haut. Ça éclabousse la table.

Thomas va partir. La voiture s'éloignera. Sur la plage arrière, le casque jaune des chantiers.

Il embrasse sa femme. Leurs bouches sentent le café.

48

« À ce soir. »
Claire se rendormit.

Elle ouvrit les yeux dès que les travaux commencèrent, et elle se leva.
Pendant la semaine, elle n'utilisait plus son réveil.
Elle n'en avait pas besoin. C'était le bruit du chantier
qui la réveillait. Et elle croyait presque sentir la
présence de Thomas.

Claire palpait l'abdomen d'un patient. Il était à peu près de l'âge de Thomas et portait une alliance. Thomas n'en portait pas. Il craignait sans doute de la perdre sur un chantier. L'homme se plaignait de douleurs au ventre. Il n'avait jamais été opéré de l'appendicite. Thomas non plus. Claire aurait vu sa cicatrice.

Thomas ne tombait jamais malade, elle en était sûre. Il ne toussait pas, il ne se mouchait pas, il ne reniflait même pas. Pas de troubles hépatiques, aucune nuance de jaune n'altérait le blanc de ses yeux. Sur les chantiers, il faisait des efforts, il soulevait sûrement des choses lourdes mais il ne souffrait pas du dos, pas de sciatique, pas la moindre lombalgie. Et il n'avait jamais de migraines. Rien.

Le patient se rhabilla.

Claire s'assit à son bureau.

Elle aurait soigné Thomas elle-même. Elle connaîtrait sa numération globulaire et sa vitesse de sédimentation et, de l'atlas au sacrum, elle verrait chacune de ses vertèbres. Comme à ce patient, elle prescrirait un examen radiologique de l'appareil digestif. Elle découvrirait alors l'œsophage de Thomas, son estomac, chaque repli de son intestin grêle et les bosselures de son gros intestin, tout son système digestif rendu presque phosphorescent par la baryte.

Mais il n'était jamais malade.

Claire soupira. Elle ne connaissait que la peau lisse du ventre de Thomas.

Elle ne l'avait même jamais vu manger, ni boire, sauf du café sucré. Elle ne savait rien de ses goûts. S'il sucrait tant son café, il aimait certainement les desserts. Mais elle ne parvenait pas à l'imaginer mangeant des gâteaux. Non, il doit préférer les viandes, les plats mijotés, le gibier. Et quand il a fini, il sauce son assiette avec du pain.

C'est assis sur un parpaing, près d'un réchaud de chantier, que Claire le voit le mieux. Il mange une cuisse de poulet avec ses doigts. Le cartilage craque sous ses dents. Il a faim, il mange vite, il digère tout.

Sa femme lui prépare-t-elle parfois une gamelle ? Le matin, elle la remplit avec le reste du plat de la veille et elle la ferme hermétiquement. Elle sourit. Cela lui rappelle les premiers temps de leur mariage, quand Thomas était encore chef de chantier. Les enfants regardent avec envie. Ils aimeraient bien, eux aussi, une gamelle qu'ils emporteraient à l'école. Ils feraient un feu de bois pour la réchauffer. Et ils n'iraient pas à la cantine.

Claire sursauta. Son patient, prêt à partir, lui tendait un chèque. Elle le prit et se hâta de remplir la feuille de sécurité sociale.

– Maintenant, respirez normalement... Parfait.

Claire reposa son stéthoscope.

Une sirène d'ambulance retentit soudain, de plus en plus proche.

Il s'était sans doute produit un accident. Peut-être sur le chantier voisin. Les accidents sont fréquents sur les chantiers. Les perceuses dérapent, les planchers s'effondrent. Et les poutres s'écroulent. Une poutre a pu tomber sur Thomas. Les ouvriers ne parviennent pas à la soulever. Il perd beaucoup de sang. Encore un effort et la poutre se soulève un peu, juste assez pour le dégager. L'ambulance arrive, ses roues patinent dans la boue du chantier. On dépose Thomas sur un brancard. Attention. Doucement.

La patiente tendit un bras tiède et mou. Claire lui prit la tension. La peau de l'avant-bras de Thomas est si lisse, les veines si saillantes, les ambulanciers planteront facilement l'aiguille de la perfusion.

53

Elle arracha le velcro du brassard. La tension de la jeune femme était normale.

Claire annulera tous ses rendez-vous pour rester auprès de Thomas à l'hôpital. Elle vérifiera son goutte-à-goutte, elle refera ses bandages, elle examinera ses radios, et elle lui fera elle-même des injections.

Mais elle ne saura même pas dans quel hôpital il a été transporté. Et quand Thomas ouvrira les yeux, c'est sa femme qu'il verra. Elle le serrera dans ses bras et il respirera son parfum.

Car elle se parfume, elle.

La patiente jeta un coup d'œil sur son ordonnance et paya de mauvaise grâce. Claire ne lui avait prescrit que du magnésium.

Claire trouva un message de Thomas sur le répondeur de sa ligne personnelle.

Il était désolé, il avait un empêchement, il ne pourrait pas venir ce soir.

Claire sourit. C'était le premier message de Thomas. Il ne l'appelait jamais.

Elle monta le son de l'appareil et réécouta. La voix de Thomas était douce. Il murmurait presque.

Elle rembobina la bande de façon à ce qu'aucun nouveau message ne vînt effacer celui de Thomas.

À midi, elle acheta plusieurs cassettes vierges. Elle remplaça ainsi celle du répondeur. Et elle la rangea dans le tiroir de son bureau.

Désormais, elle conserverait chaque enregistrement de la voix de Thomas.

Thomas était blotti contre elle. Elle avait fermé les yeux et respirait, dans ses cheveux, l'odeur de la poussière des chantiers.

Soudain, la tête de Thomas s'alourdit sur son épaule. Il s'était endormi. C'était la première fois qu'il s'endormait auprès d'elle.

Elle essayait de ne pas bouger. Elle n'osa même pas ouvrir les yeux.

Le souffle de Thomas était si chaud et si dru contre son cou qu'il y formait sûrement un petit rond de buée.

La tête de Thomas pesait de plus en plus sur son épaule. Elle pouvait presque sentir chaque poil de sa joue et de son menton s'incruster dans sa peau.

Le bras qui reposait sur l'estomac de Claire changea de position et s'immobilisa, la face interne du poignet contre son nombril. Le pouls de Thomas résonna dans son ventre à elle. Claire retint son souffle. Elle sentit alors dans tout son corps les pulsations du sang de Thomas.

Le bras glissa légèrement et elle ne sentit plus rien.

Elle ouvrit les yeux. La peau de Thomas était lisse et mate. Pas de grains de beauté, très peu de poils. Sa jambe portait la trace de la bande élastique de sa chaussette, ses pieds étaient petits et larges et le dernier de ses orteils avait la forme d'un quartier de clémentine.

Elle sourit. Thomas se réveilla.

Il se leva d'un bond et se rhabilla.

Il serra Claire contre lui mais ne l'embrassa pas. Puis il s'en alla.

Elle resta seule. Il ne l'avait pas embrassée mais il l'avait serrée dans ses bras plus fort que d'habitude, et plus longuement. Claire était heureuse. La barbe naissante de Thomas avait laissé une marque rouge sur son épaule.

Lorsqu'il se rasait, le matin, de longs rectangles de peau douce apparaissaient dans la mousse blanche. Après il prenait sans doute une douche. Les douches sont plus rapides que les bains. Il ne s'était jamais lavé chez Claire. Pourtant elle avait acheté du savon de Marseille, inodore. Et jamais elle ne l'avait entendu tirer la chasse d'eau.

Il se lavait certainement avant de se coucher. Il se savonnait longtemps. Il effaçait l'odeur du corps de

Claire. Et ensuite, il se glissait dans son lit, près de sa femme.
Claire frissonna. Elle s'habilla.

Le lendemain matin, la marque rouge de son épaule avait disparu.

Les vacances de Noël approchaient.

Thomas irait sûrement à la montagne avec sa femme et ses enfants. Il recouvrirait ses lèvres d'écran total et sa bouche paraîtrait presque blanche sur son visage bronzé.

Lorsqu'il reviendrait, le contour de ses yeux serait pâle, à cause des lunettes de soleil. Le haut de son front aussi, s'il portait un bonnet. Non, elle n'imaginait pas Thomas avec un bonnet.

Mais quand partirait-il? Et quand reviendrait-il? Elle l'ignorait. Il ne lui en avait encore rien dit. Et elle ne lui posait jamais de questions.

L'escalator qui menait à l'étage des jouets était surchargé. Claire s'agrippa à la main courante.

Il lui restait un cadeau de Noël à acheter, celui de son neveu. À quoi s'intéressait-il? Elle n'en savait rien, elle ne le voyait jamais. Nicolas avait neuf ans. Et il la détestait. Tout petit, il hurlait quand elle s'approchait de lui. À présent, il filait s'enfermer dans sa chambre dès qu'elle arrivait. Alors Claire n'allait plus que rarement chez sa sœur, toujours tard le soir, lorsqu'elle était sûre que l'enfant dormait.

Les marches de l'escalator s'aplatirent sous ses pieds. Elle lâcha la rampe de caoutchouc noir. Sa main était moite.

Elle ne parvenait même pas à se souvenir du visage de Nicolas.

Un petit garçon la bouscula et s'excusa. Il avait un large sourire et il était tout ébouriffé. Il ressemblait à Thomas. C'était peut-être son fils. Il rejoignit une femme aux cheveux longs qui tenait par la main une fillette.

C'était la femme de Thomas et c'étaient ses enfants.

Claire en eut la certitude.

Elle les suivit dans la foule.

Elle ne voyait la jeune femme que de dos. Elle portait une veste de fourrure. Claire se rapprocha et sa main s'avança pour la toucher. La fourrure était douce, presque chaude.

Le petit garçon pointa brusquement son doigt en direction d'un homme qui venait à leur rencontre et courut se jeter dans ses bras.

Ils s'éloignèrent tous les quatre, enlacés.

Claire regarda autour d'elle.

Il y avait des petits garçons partout. Et tous ressemblaient à Thomas.

Elle acheta un jeu vidéo pour Nicolas et quitta vite le magasin.

Claire s'éveilla en sursaut. On avait sonné à la porte.
Huit heures et demie, c'était son premier patient.
Pourquoi ne s'était-elle pas réveillée ? Elle enfila vite
ses vêtements de la veille et se hâta d'aller ouvrir.
Elle fit entrer le malade dans son cabinet, s'excusa
et courut dans la salle de bains pour se laver les
dents. Soudain elle se figea. Elle n'entendait presque
aucun bruit. Elle écouta. Rien. Elle se précipita à la
fenêtre et l'ouvrit. La rue était silencieuse. Claire
comprit alors pourquoi elle ne s'était pas réveillée.
Ce matin, il n'y avait pas de travaux.
C'était la veille de Noël. Le chantier s'arrêtait certainement pendant les fêtes.
Et si Thomas était parti sans la prévenir ?
Son patient sursauta lorsqu'elle le toucha. Elle avait
les mains glacées.

Entre deux malades, elle descendit dans la rue.
Devant la palissade, le trottoir avait été balayé. Claire

62

s'approcha de la petite porte. La poignée avait disparu. Le chantier était fermé.

Dès qu'elle le pouvait, elle allait écouter le répondeur de sa ligne privée. Pas de message de Thomas.
Elle ne parvenait pas à se souvenir si, la veille, il lui avait dit : « À demain. » Elle se rappelait juste qu'ils étaient si étroitement mêlés qu'elle n'avait soudain plus su si c'était sa propre peau qu'elle caressait ou bien celle de Thomas.

Après le départ de sa dernière malade, Claire se laissa tomber sur le canapé de la salle d'attente.
Elle ne bougeait pas. Thomas ne viendrait pas. Il était parti ce matin, dans sa grande voiture à quatre portes. À l'arrière, les enfants se plaignaient. La ceinture de sécurité les serrait trop. À présent, ils sont sans doute arrivés. La femme de Thomas défait les bagages. Elle n'a rien oublié. Elle a même pensé à emporter des spaghetti pour le dîner et du café pour le petit déjeuner. Thomas l'embrasse dans le cou. Demain, ils feront des courses, tous ensemble.
Ils sont enfin en vacances, tous les quatre.
Claire se releva lentement et retourna dans son cabinet.
Elle ouvrit le premier tiroir de son bureau. Les sucres, la canne de golf et la cassette du répondeur s'y trouvaient toujours. Ils reposaient sur un tapis de

petits carrés dorés. Les pochettes des préservatifs, toutes vides, sauf la première.

Claire n'en avait jamais jeté aucune.

Elle commença à les compter.

Trente-cinq, trente-six, trente-sept, trente-huit. Elle se sentait mieux.

Cinquante-neuf, soixante, soixante et une. La sonnerie de la porte l'interrompit. C'était peut-être Thomas. Elle remit les pochettes dorées, en vrac, dans le tiroir et le referma.

Thomas tenait un bouquet de roses.

Il prit Claire dans ses bras.

Elle entendait crisser contre son dos le papier qui enveloppait les fleurs.

Elle se dégagea et il lui tendit le bouquet.

Elle fit couler de l'eau dans un vase et elle arrangea les roses une à une. Il y en avait douze. C'était la première fois que Thomas lui apportait des fleurs. Pourquoi aujourd'hui? Probablement parce qu'il partirait demain.

Il s'approcha d'elle, l'enlaça à nouveau. Elle s'écarta.

Il partirait demain, n'est-ce pas? Il ne répondit pas.

Quand reviendrait-il? Il la regardait fixement.

Début janvier? Il devint très pâle, il se détourna et marcha vers la porte.

Claire le rattrapa.

Elle posa ses mains sur son cou, là où la peau est si lisse, et elle l'embrassa. Il ferma les yeux. Brus-

quement sa respiration changea. Dès que Claire expi-
rait, il inspirait. Ils s'embrassèrent longtemps. Elle
sentit sous ses paumes la gorge de Thomas ondu-
ler.

Il respirait le souffle de Claire. Et il buvait sa salive.

Il y avait tant de monde dans le train que Claire dut voyager avec ses cadeaux sur les genoux.

Sa voisine serrait contre elle un sac à provisions. Un long saumon emballé sous vide en dépassait.

Les années précédentes, Michel l'accompagnait, en voiture. Ses parents avaient été déçus d'apprendre qu'elle viendrait fêter Noël sans lui. Toute sa famille aimait Michel. C'était toujours lui que Nicolas remerciait des cadeaux offerts par Claire. Elle essaya de se détendre. Nicolas était grand, maintenant. Il cesserait peut-être de la fuir.

Et puis elle n'avait pas vu ses parents depuis longtemps, sa mère serait heureuse de la voir.

À côté d'elle, sa voisine s'assoupissait.

Pendant tout le trajet, l'emballage cartonné du saumon frotta contre le bras de Claire.

Elle leva la tête. La guirlande électrique du sapin projetait ses clignotements à travers les rideaux. Claire resta immobile sur le trottoir.

Ce ne fut que lorsqu'elle eut très froid qu'elle se décida à pénétrer dans l'immeuble.

Elle appuya sur la sonnette et entendit aussitôt Nicolas détaler. Quand elle entra, il avait disparu.

Son père, sa mère, sa sœur Sylvie et Jean-Paul, son beau-frère, elle embrassa toute sa famille.

Sa mère ne remarqua même pas que les joues de Claire étaient glacées.

Elle déposa ses paquets au pied du sapin. Par terre, gisaient des papiers de couleur déchirés. Elle pensa que Nicolas avait été autorisé à ouvrir ses cadeaux avant qu'elle n'arrivât, sans doute de crainte que, par sa présence, elle ne gâche le plaisir de l'enfant.

Sylvie l'attira dans la cuisine et lui demanda à voix basse du Lexomil. Mais Claire n'avait pas emporté son bloc d'ordonnance. Sa sœur parut contrariée. Elle découpa en silence l'enveloppe de plastique d'un saumon fumé. Puis elles disposèrent sur un plat les tranches séparées par des feuilles de cellophane. Claire quitta la cuisine. Elle aperçut le sac de Sylvie sur le canapé du salon. Elle s'en approcha et l'ouvrit. Son père et Jean-Paul, occupés à réparer un jouet de Nicolas, ne la virent pas. Elle trouva vite ce qu'elle cherchait, une petite boîte verte de Lexomil, presque vide. Elle en avala un demi-comprimé et remit tout en place.

67

Le jeu vidéo sembla plaire à Nicolas. Il remercia Claire et se laissa embrasser sur les cheveux.

Le dîner était prêt. Nicolas s'assit à côté de son père et joua avec le cadeau de Claire.

Elle ne mangea pas de saumon.

Demain, comme chaque année depuis la naissance de Nicolas, ils partiraient tous ensemble dans les Pyrénées. Elle ne parvenait pas à écouter leur conversation. Ils faisaient des projets de réveillon et parlaient d'amis qu'elle ne connaissait pas. Sa mère et sa sœur avaient la même voix.

Brusquement, ses yeux se mirent à ciller au rythme de la guirlande électrique, et elle n'entendit plus que les bip-bip du jeu vidéo. Elle n'aurait pas dû prendre de Lexomil, elle n'était pas habituée aux tranquillisants. Elle essaya de maîtriser les battements de ses paupières. Ses yeux fixèrent une surface orange et luisante. Le saumon. Les bip-bip se firent de plus en plus lointains. Et elle s'endormit.

Le wagon était presque désert. Elle s'installa près de la fenêtre et étendit ses jambes sur le siège d'en face. Elle se sentait bien.

Elle s'était réveillée allongée sur le canapé alors qu'ils mangeaient leur dessert, une bûche de Noël. Ses parents ne paraissaient pas s'inquiéter pour elle. Les médecins ne tombent jamais vraiment malades. Après le café et l'échange de cadeaux, elle avait embrassé tout le monde. Et elle était descendue à pied, sans même attendre l'ascenseur.

Ensuite, elle avait gambadé jusqu'à la gare.

En arrivant chez elle, elle mettrait un disque. Elle voulait entendre de la musique.

Claire s'aperçut qu'elle avait faim.

Chaque jour, elle examinait les roses de Thomas.
Elles s'ouvraient mais ne se fanaient toujours pas.

Un matin, elles commencèrent à pencher la tête.
Claire hésitait à couper l'extrémité de leurs tiges.
Enfin elle alla chercher des ciseaux dans la salle
d'examen. C'étaient les fleurs de Thomas. Elle ne
pouvait pas les laisser se flétrir ainsi. Elle tailla
soigneusement en biais chacune des douze tiges.

Le soir même, les roses s'étaient toutes redressées.
Claire soupira. Il lui faudrait attendre encore
quelques jours avant de les ranger dans le tiroir de
son bureau.

Elle se précipita pour chercher son appareil polaroïd
dans le placard. Comment n'y avait-elle pas pensé
plus tôt?
Elle photographia le bouquet.

Les couleurs étaient pâles mais on distinguait bien les roses.

Elle plaça les photos dans le tiroir. Au moment de le refermer, elle se ravisa. Elle le tira complètement afin de le dégager du meuble et elle le posa sur son bureau. Elle éloigna la lampe. Les petits carrés de papier doré reflétaient trop la lumière.

Et elle photographia le contenu du tiroir.

Lorsque le cliché fut net, elle le glissa dans son portefeuille.

Claire se rendit au supermarché.

Elle vit de loin sa patiente, la caissière. La jeune femme portait une minerve. Était-elle allée voir un autre médecin? Tout à l'heure, Claire passerait par sa caisse et prendrait de ses nouvelles.

Elle se dirigea d'abord vers les produits d'entretien. Puis elle se promena parmi les rayons. Elle remarqua une femme qui empilait dans un chariot plusieurs boîtes de sucre en morceaux.

Chez Claire, une boîte de sucre durait presque six mois.

Elle pensa au café sucré de Thomas. Si elle vivait avec lui, elle achèterait autant de sucre que cette femme.

Elle eut brusquement envie de sortir du magasin.

Tout autour d'elle, les gens poussaient des chariots pleins. Mais Claire, elle, n'avait même pas pris de chariot. Un panier métallique suffisait pour tous ses achats. Elle vivait seule.

Elle parlerait une autre fois à sa patiente. Elle se

plaça dans la plus courte des files d'attente, celle de la caisse réservée aux clients qui réglaient moins de dix articles.

Elle contemplait son carnet de rendez-vous. Chaque moment passé avec Thomas y figurait. Un grand T et une double flèche verticale indiquant l'heure de son arrivée et celle de son départ.

Claire prit une feuille de papier et un crayon. Une heure et quinze minutes par jour, cinq jours par semaine, pendant près de trois mois. Elle calcula.

Soixante-quinze heures.

Ce carnet contenait les soixante-quinze heures passées avec Thomas. Comment pourrait-elle se résoudre à le ranger auprès de ceux des années précédentes?

Elle feuilleta son nouveau carnet de rendez-vous. Des heures, des jours, des mois, mais pas de T, et pas de flèches.

Une nouvelle année allait commencer.

Elle réveillonna chez Bernard et Marie.

À minuit, on échangea des baisers.

En ce moment précis, Thomas embrassait sa femme, Claire en était sûre. Un ami de Bernard la prit par les épaules et l'embrassa sur la bouche. Elle se laissa faire.

Il s'appelait Christophe. Un peu plus tard, il insista pour la raccompagner. Elle accepta.

Elle le regarda déboucher la bouteille de champagne achetée pour Thomas.

Avant de boire, ils trinquèrent.

Il était plus grand que Thomas, et beaucoup plus lourd.

Christophe dormait.

Claire n'avait pas sommeil.

Elle se leva sans bruit et s'enferma dans la salle de bains.

Elle regretta de ne pas fumer. Là, elle aurait allumé une cigarette et elle aurait soufflé la fumée comme ça. Elle rejeta la tête en arrière et forma un petit « o » avec sa bouche. Elle se vit dans la glace et se sourit. Et si elle changeait de coiffure ? Plus court. Ou alors plus long. Elle gonfla ses joues et fit quelques grimaces. Ensuite, elle se maquilla. Du noir sur les yeux, du rouge sur les joues et sur les lèvres. C'était trop, ça ne lui allait pas. Et puis, avec tout ce rouge à lèvres, comment embrasser Thomas ? Elle se démaquilla et retourna se coucher.

La chaleur que dégageait le corps de Christophe la réchauffa.

Il descendit chercher du pain frais pour le petit déjeuner. Claire ramassa, à côté du lit, trois pochettes de préservatifs, vides. Elle les jeta à la poubelle.

Il ne mit qu'un sucre dans son café.

Ils se promenèrent au bois de Vincennes et ils déjeunèrent dans une brasserie. Christophe commanda un plateau de fruits de mer. Il décortiqua pour Claire un tourteau, des crevettes. Elle mangeait avec appétit, elle buvait du vin blanc. Tout à l'heure, elle ferait la sieste, seule. Et demain, elle reverrait Thomas.

Elle refit son lit. Sur le drap du dessous, elle découvrit quelques cheveux, des cheveux de Christophe.

Il avait semblé fâché de ne pas monter avec elle et il avait violemment claqué la portière de sa voiture avant de démarrer. Claire balaya les cheveux du plat de la main.

Pourquoi n'avait-elle jamais réussi à trouver le moindre cheveu de Thomas?

Elle se coucha, adossée aux deux oreillers, et alluma la télévision.

Elle passait d'une chaîne à l'autre.

Parfois elle faisait glisser ses jambes nues entre les draps bien tendus. Parfois elle s'étirait.

Demain, elle reverrait Thomas.

Elle se réveilla de très bonne heure et entrouvrit aussitôt la fenêtre. Elle voulait être sûre d'entendre les travaux dès qu'ils reprendraient.

Elle se lava les cheveux et s'habilla. Elle se changerait vite entre deux patients, avant l'arrivée de Thomas.

Elle fronça les sourcils en voyant dans l'évier la tasse de petit déjeuner utilisée la veille par Christophe. Elle la rinça et la rangea. Puis elle fit griller le reste du pain qu'il avait acheté.

Après avoir bu son café et mangé ses tartines, elle passa l'éponge sur la table jusqu'à ce que toutes les miettes aient disparu.

Elle changea les draps. À midi, elle les porterait à la teinturerie.

Il n'y aurait alors plus aucune trace de Christophe.

Elle ouvrit davantage la fenêtre, mit un pull-over sur ses épaules car il faisait froid. Et elle attendit le bruit du chantier.

Dès qu'elle avait raccompagné un malade à la porte, elle se précipitait pour écouter les messages de son répondeur personnel.

Enfin elle en trouva un de Thomas. Il viendrait à sept heures et demie. Il espérait qu'elle serait là. Il avait hâte de la revoir. Le patient suivant sonna. Elle retira la cassette, la glissa dans sa poche et la remplaça par une neuve. Elle courut ouvrir.

Elle s'aperçut alors qu'elle n'avait même pas écouté les autres messages.

Pendant que le malade se déshabillait, elle rangea la cassette dans le tiroir de son bureau en prenant garde de ne pas la poser sur l'une des douze roses de Thomas. Il faudrait mettre ces fleurs dans une boîte afin de les protéger.

Elle caressa de la main la couverture de son Vidal. Les quelques pétales de roses qui étaient tombés tout seuls se trouvaient là. Ils séchaient bien à plat au milieu du dictionnaire des médicaments, entre Laroscorbine et Laroxyl.

Ils n'échangèrent pas un mot. Chacun enserra dans ses mains la tête de l'autre. Ils se regardaient mais ne se voyaient pas. Visage contre visage, ils étaient trop près pour se voir. Ils s'embrassèrent.

D'abord la douceur des dents, la pointe tendre des canines et, plus loin, la surface chaude des molaires. Puis les côtés, lisses, où la gencive et l'émail se

confondent parfois. Et l'intérieur des joues, si moelleux que le palais semble, par comparaison, dur et grenu. Et l'endroit frais, l'espace étroit entre la lèvre supérieure et la gencive, au-dessus des incisives.
Ils se retrouvaient.
Thomas referma ses bras autour de Claire. Elle s'aperçut soudain qu'elle avait froid. Comment pouvait-elle avoir froid alors qu'il la serrait tellement fort contre lui? Elle fit glisser ses mains le long du dos de Thomas. Sous ses doigts, sous ses paumes, c'était froid. C'était du cuir, neuf. Thomas portait un blouson de cuir neuf. Elle s'écarta de lui et le cuir émit un léger craquement. Elle défit la fermeture éclair du blouson, dégagea les épaules de Thomas et tira sur les manches. Le blouson ne s'affaissa pas. Il tomba par terre, droit, tout raide.
Ils s'enlacèrent à nouveau et elle n'eut plus froid.

Pour la première fois, Thomas resta une heure et demie.

Il l'embrassa encore sur le palier.
Avant que la porte de l'ascenseur ne se refermât, Claire vit reluire le blouson sous la lumière vive du plafonnier.
Elle demeura immobile. Ce blouson était sûrement un cadeau de Noël, un cadeau de sa femme.
Elle sentit des picotements sous ses pieds nus et

remarqua qu'elle se tenait sur le paillasson. Elle rentra chez elle.

Claire les imaginait tous deux dans le magasin. Thomas essayait des blousons les uns après les autres. Il ne disait rien et sa femme donnait son avis. « Tourne-toi. Non, trop étriqué. » Enfin elle avait dit : « Celui-là. » Le vendeur assurait que le cuir s'assouplirait et se patinerait vite. Thomas gardait le blouson sur lui. Il observait sa femme en souriant. Elle tapait le code de sa carte de crédit. Elle était belle, le blouson lui irait bien. Il le lui prêterait et la doublure s'imprégnerait de son parfum.

À travers la vitre, le vendeur les avait regardés s'embrasser. Les mains de la femme caressaient le cuir neuf.

Claire s'habilla rapidement. Elle avait rendez-vous avec Marie, au restaurant.

Dans le métro, elle s'assit sur le strapontin près de la portière, côté quai, dans le sens de la marche, sa place préférée.

Elle ne savait pas encore si elle parlerait de Thomas à Marie. D'ailleurs que dirait-elle ? « Nous nous voyons une heure et quart tous les jours » et elle ajouterait : « Sauf le week-end. » Elle se rendit compte qu'elle n'avait jamais parlé de lui, à personne. Elle secoua la tête. Maintenant qu'elle vivait avec Bernard et qu'elle avait un enfant, Marie désapprouverait certainement une liaison avec un homme marié dont on ne pouvait rien attendre. Claire décida de ne rien lui raconter. Elle se demanda soudain si Thomas parlait d'elle. « J'ai une maîtresse. » Elle faillit éclater de rire. Elle répéta plusieurs fois « maîtresse » à mi-voix. Un couple assis en face d'elle la regardait, alors elle se tut. Mais pendant tout le reste du trajet, elle ne put s'empêcher de sourire.

Dès que Marie arriva, Claire se mit à parler de Thomas.
Elle raconta leur rencontre. Elle raconta qu'ils s'étreignaient dans l'entrée, à peine la porte refermée, qu'ils restaient collés l'un à l'autre pendant plus d'une heure, et qu'elle était heureuse. Elle s'interrompit. Marie ne bougeait pas. Elle regardait fixement la bouteille de vin. Claire se servit un verre et reposa la bouteille à l'autre bout de la table. Mais Marie ne tourna pas la tête. Elle fixait toujours le même point. Elle cherchait sans doute comment conseiller à Claire de rompre. Claire but son verre de vin. Elle parla plus fort. D'accord, elle ne savait pas grand-chose de Thomas et elle n'avait rien à attendre de lui, mais ces moments-là lui suffisaient et elle était heureuse. Voilà.
Il y eut un silence. Marie leva les yeux.
– C'est bien. Et puis il quittera peut-être sa femme.
Claire haussa les épaules. Marie disait n'importe quoi. Thomas ne quitterait pas sa femme, ni ses enfants. C'était impossible. Elle changea de sujet de conver-

sation. Pourquoi avait-elle parlé de Thomas à Marie?

Marie ne mangea presque rien et elles se séparèrent tôt. C'était pourtant la première fois qu'elles dînaient en tête à tête depuis l'accouchement de Marie.

Avant de se coucher, Claire prit un bain.

À cette heure-ci, Thomas et sa femme rentraient probablement d'un dîner chez des amis. Thomas conduisait, et sa femme, fatiguée, posait sa tête sur l'épaule de son mari. Le contact frais du cuir neuf contre sa peau lui plaisait, elle allait s'endormir. Tout à l'heure, lorsqu'ils arriveraient chez eux, sa joue porterait l'empreinte de la couture du blouson, et Thomas y poserait ses lèvres.

Alors comment Marie avait-elle pu dire qu'il quitterait peut-être sa femme? Avait-elle voulu encourager Claire à poursuivre sa liaison? Claire tenta de se rappeler son intonation. « C'est bien. Et puis il quittera peut-être sa femme. » Son ton était plat. Il ne s'agissait pas d'un encouragement. Elle revit le regard fixe de Marie. Et soudain, elle se souvint que Marie avait les cheveux sales et qu'elle était très pâle. Or, d'habitude elle se maquillait et, depuis quinze ans qu'elles se connaissaient, Claire ne l'avait jamais vue avec les cheveux sales. Et son manque d'appétit? Pourquoi Claire ne s'en était-elle pas aperçue au cours du dîner? C'était évident. Marie faisait une dépression à la suite de son accouchement.

Elle sortit de son bain et se sécha rapidement. Elle s'empara du téléphone et raccrocha aussitôt. Elle ne pouvait pas appeler Marie maintenant. Elle risquait de réveiller le bébé. Et Marie ne parlerait pas en présence de Bernard.

Claire s'assit sur son lit. Elle aurait dû poser des questions à Marie, l'inciter à se confier. Déprimée, elle avait certainement des problèmes avec Bernard. Claire se figea. Marie ne l'avait ni désapprouvée ni encouragée. Elle ne l'avait pas vraiment écoutée. Et quand elle avait dit : « Il quittera peut-être sa femme », c'était à Bernard qu'elle pensait, et à elle-même. Pas à Thomas.

Claire se coucha.

Thomas ne quitterait pas sa femme.

Elle s'endormit.

Thomas voulut boire quelque chose.

Claire se leva d'un bond, enfila son pull-over.

En tirant le panneau coulissant du coin cuisine, elle se demanda s'il l'observait. Elle ouvrit la porte du frigidaire. Son pull-over était court, elle ne se pencha pas. Elle s'agenouilla. Elle chercha la bouteille de champagne et se rappela l'avoir bue avec Christophe.

Jus de fruits, bière, pastis, whisky?

Elle retint son souffle. Elle allait enfin connaître ses goûts.

Whisky.

Il aimait le whisky. Elle aussi.

Elle jeta un coup d'œil à l'horloge de la cafetière électrique. Thomas était là depuis une heure dix.

Elle démoula les glaçons, remplit le bac à glace et le rangea dans le freezer. Elle prenait son temps.

Peut-être resterait-il plus d'une heure et demie.

Il avait remis son pantalon mais il était torse nu.

Il buvait lentement. Sa pomme d'Adam montait et descendait. Il parlait d'un chantier qu'il venait de commencer. Claire essayait de l'écouter mais elle n'y parvenait pas. À chaque gorgée que Thomas avalait, elle croyait voir le whisky couler dans son pharynx puis dans l'œsophage. Il passait derrière le cœur, franchissait le diaphragme et atteignait l'estomac. Et le regard de Claire suivait. La bouche, le cou, la poitrine, les côtes, le ventre.
Elle eut brusquement envie de l'embrasser encore.

Il partit une demi-heure plus tard.
Qu'allait-il raconter à sa femme? Pendant le trajet, tout en conduisant, il réfléchirait, il chercherait des excuses à son retard. Il roulerait vite sur la route verglacée. Et s'il avait un accident? Un accident grave. Un accident mortel. Demain et après-demain, Claire l'attendrait en vain. Et puis l'un des ouvriers rencontré dans la rue lui apprendrait la mort de Thomas. À moins que les travaux n'eussent cessé. Elle se rendrait à l'enterrement. Seuls les ouvriers du chantier la reconnaîtraient peut-être. Elle verrait de loin la femme et les enfants de Thomas et sa famille. Avait-il des frères et sœurs? Elle essaya d'imaginer une sœur de Thomas. Thomas en femme, avec de longs cheveux châtains, un nez plus fin, la bouche moins large. Elle sourit. Cela ne collait pas. Elle apercevrait les beaux-parents de Thomas, soutenant leur fille. La belle-mère était mince, elle

paraissait jeune. Thomas l'avait toujours trouvée jolie. Il se disait que sa femme vieillirait comme elle. La mère de Claire, elle, n'avait jamais été belle, même jeune.

On distribuerait à chacun une rose. Claire pourrait-elle en demander deux? Elle en jetterait une sur le cercueil et elle garderait l'autre. Ce serait la dernière chose qu'elle rangerait dans le tiroir de son bureau. Après, elle n'y ajouterait jamais plus rien.

Octobre, novembre, décembre, début janvier. Elle aurait connu Thomas à peine plus de trois mois, et ces trois mois tiendraient dans un tiroir.

Claire s'habilla et sortit.

Il ne faisait pas froid. Il n'y aurait pas de verglas sur les routes.

Ils s'étaient déshabillés et s'allongeaient sur le lit. Thomas s'écarta d'elle. Il souhaitait ne plus mettre de préservatif, était-elle d'accord ? Claire allait répondre « oui » lorsqu'elle pensa au tiroir de son bureau, aux pochettes dorées qui s'y accumulaient, une, quelquefois deux de plus chaque jour.

Sans les préservatifs, que lui resterait-il des moments passés avec Thomas ?

Elle refusa.

Il se tourna sur le côté et elle entendit le bruit du papier déchiré. Thomas continuerait à mettre des préservatifs, et elle continuerait à garder leurs enveloppes.

Le lendemain, elle racheta une bouteille de champagne.

Il ne l'enlaça pas, ne l'embrassa pas.
Il s'assit sur le lit, plongea son visage entre ses mains. Claire s'approcha de lui, toucha son épaule. Que se passait-il?
Elle s'agenouilla face à lui, prit ses poignets pour dégager son visage. Il se laissa faire mais se détourna.
Il repoussa doucement Claire, et se leva. Il resta immobile au milieu de la pièce. Elle l'observait en silence, elle ne savait que dire. Elle ne comprenait pas.
Soudain, il se dirigea vers la salle de bains et s'y enferma. Il y demeura longtemps. Elle l'entendit tirer la chasse d'eau. Puis le robinet du lavabo coula.
Lorsqu'il réapparut, les mèches qui retombaient sur son front étaient humides.

Il prit Claire par le bras, la força à s'asseoir. Il devait lui parler. Il avait des choses importantes à lui dire, très importantes.

Elle attendit. Il semblait chercher ses mots. Il serrait ses bras contre lui, comme s'il avait froid.

Elle ferma les yeux. Elle avait compris. Il allait rompre et se demandait comment le lui annoncer. Il avait une femme et des enfants. C'était trop compliqué. Sa décision était prise, il ne verrait plus Claire. Et hier, il n'avait pas voulu mettre de préservatif parce que c'était la dernière fois. Elle pensa brusquement à la bouteille de champagne qui rafraîchissait dans le freezer. Elle allait éclater. Tant mieux. Claire l'avait achetée pour la boire avec Thomas. Elle ne l'aurait jamais bue sans lui.

La voix de Thomas lui parvint, lointaine. Elle rouvrit les yeux.

Il lui tournait le dos. Elle se mit à fixer le rectangle de cuir cousu à la ceinture de son jean. Elle savait ce que Thomas allait dire, elle n'écoutait pas. Elle n'arrivait pas à déchiffrer sa taille, elle plissa les yeux. W 33 L 34. L'étiquette disparut. Thomas s'était retourné. Alors elle l'entendit.

– Je ne suis pas marié, je n'ai pas d'enfants.

Claire crut sourire mais Thomas se précipita vers elle et elle se rendit compte qu'elle pleurait.

Elle avait enfoui son visage dans le cou de Thomas. Elle se serrait contre lui, collait ses cuisses aux siennes, glissait ses pieds entre les siens. Il était là, elle le sentait respirer. Il lui parla tout bas, il lui disait qu'à présent, il était sûr de ne plus vouloir la quitter, jamais.

Une heure et quart, une heure et demie, plus, moins, elle ne compterait plus. Il ne partirait pas.

La bouteille de champagne n'avait pas explosé. Thomas l'ouvrit.

Claire ne jeta pas le bouchon.

Ses mains tremblaient. Elle regardait Thomas. Il n'était pas marié, il n'avait pas de femme, pas d'enfants. Et ce blouson de cuir, il l'avait choisi tout seul. Elle renversa son champagne. Thomas lui retira son verre.

– Sortons.

À peine montée dans la voiture, Claire se retourna vite et flaira l'appui-tête pour y chercher le parfum de la femme de Thomas.

Elle sourit, c'était absurde. Thomas n'avait pas de femme.

Il mit le contact. Elle observa son poignet sur le levier de vitesses, sa main sur le volant et le mouvement de ses genoux lorsqu'il appuyait sur l'une ou l'autre des pédales.

Elle était à côté de lui, dans sa voiture, une voiture

à quatre portes, avec le téléphone et, au-dessus, la niche rectangulaire d'un autoradio. Ils écouteraient de la musique ensemble et elle connaîtrait ses goûts.

Son siège était trop reculé. Elle l'avança et régla la ceinture de sécurité. Hier encore, elle en aurait déduit que la femme de Thomas était plus grande qu'elle et que ses jambes étaient plus longues.

Mais Thomas n'avait pas de femme.

À un feu rouge, Thomas l'attira à lui. Claire se laissa aller contre le blouson de cuir neuf. Et elle appliqua sa joue sur la couture de l'épaule.

Pendant le dîner, elle ne le quitta pas des yeux.

Il lisait le menu sans l'éloigner de son visage et sans le rapprocher.

Il choisit des filets de hareng pommes à l'huile et un steak au poivre. Il n'était pas au régime.

Il demanda sa viande saignante.

Il rajouta du poivre sur les harengs, du sel sur les frites. Il poussait avec du pain, beaucoup de pain, et sauçait son assiette.

Il mangeait vite.

Exactement comme elle l'avait imaginé.

Il ne prit pas de dessert et mit trois sucres dans son café.

Elle en choisit un dans le sucrier. Sur le papier qui l'enveloppait, il y avait un petit clown.

Elle le serra dans sa main. C'était leur premier dîner.

Bien qu'elle n'eût plus faim, elle commanda une crème caramel afin de rester encore un peu, avec Thomas, au restaurant.

Elle était allongée sur le côté. Thomas dormait contre elle, son bras reposait sur le bras de Claire, sa main lui enserrait le poignet.

Elle sourit. L'intérieur de ses cuisses était moite, un peu collant. Thomas n'avait pas utilisé de préservatifs, il n'en utiliserait jamais plus. Elle aurait aimé remuer ses cuisses et les frotter l'une contre l'autre mais elle restait immobile. Au moindre de ses mouvements, Thomas risquerait de bouger et de s'écarter d'elle. Et elle ne sentirait plus sa chaleur contre son dos, ni contre son bras.

Claire s'endormait à son tour.

Elle voyait Thomas et sa femme aux longs cheveux. Ils se couchaient, lui en pyjama, elle en grand tee-shirt, car parfois pendant la nuit, l'un des deux enfants venait se glisser dans leur lit.

Elle rouvrit les yeux. Thomas n'avait pas de femme et pas d'enfants. Il dormait près d'elle, collé à elle et son corps était si chaud qu'elle transpirait. Elle se mit à respirer au même rythme que

lui. Elle n'avait plus sommeil, elle ne dormirait
pas.
Elle ne voulait rien perdre de cette nuit.

Ils se réveillèrent très tôt.
Les joues de Thomas étaient rêches. C'était bon.

Il but beaucoup de café et mangea plusieurs tartines
de pain grillé qu'il trempait dans sa tasse. Dès qu'il
se resservait du café, il reprenait du sucre.
Avec lui, une boîte de sucre ne durerait qu'une quinzaine de jours.
Au supermarché, Claire pourrait prendre un chariot.

Il l'emmena visiter le chantier avant l'arrivée des
ouvriers.
Il faisait encore nuit.
Thomas ouvrit la petite porte de la palissade et tint
Claire par le bras pour traverser la cour.
Dans l'immeuble, il alluma une lampe baladeuse.
Ils gravirent l'escalier. Claire renifla. L'air sentait
le brûlé et la poussière, comme les cheveux de Tho-
mas. Elle s'arrêta et inspira profondément. Elle avait
envie de s'asseoir là, sur les marches de l'escalier,

et d'y rester. Elle fermerait les yeux et elle respirerait encore et encore cette odeur, l'odeur de Thomas.

Mais il se tourna vers elle et elle dut continuer à monter.

Elle rentra chez elle juste avant son premier patient.

Pendant qu'il se déshabillait, elle rangea dans le tiroir de son bureau le bouchon de champagne et le sucre de la veille.

Le malade toussait beaucoup. Il avait posé sa chemise sur la chaise da la salle d'examen. Claire remarqua que le col et les poignets étaient sales. Elle les contempla un instant. Bientôt, Thomas apporterait des vêtements, pour se changer. Des chemises. Elle pourrait alors avoir une machine à laver. Il saurait sûrement l'installer lui-même, et ensuite il fixerait au-dessus de la baignoire un sèche-linge. Ce serait bien. Elle ne laverait plus rien à la main et elle n'irait plus à la teinturerie. Elle laisserait les portes ouvertes et le parfum du liquide assouplissant se répandrait dans tout l'appartement. Et puis leurs vêtements auraient la même odeur.

Elle reposa son stéthoscope. Une bronchite.

Dès que son patient fut parti, elle se précipita dans la salle de bains. À côté du lavabo, il y avait de la place pour une machine à laver.

Thomas habitait en banlieue, une petite maison avec un jardin et un garage. Il l'avait achetée un an auparavant et faisait lui-même les travaux.

Ils entrèrent. Claire avançait à petits pas. Ici, le salon et la salle à manger; là, la cuisine. Par terre, il y avait du carrelage, pas de tapis et la voix de Thomas résonnait. Claire se dirigea soudain vers la cuisine. Elle tapa sur le mur. Il n'était pas porteur. On pourrait l'abattre pour ne faire qu'une seule grande pièce.

Thomas s'approcha d'elle.

— Cet été, nous dînerons dehors, dans le jardin.

Ils s'embrassèrent et montèrent au premier étage, dans la chambre.

Claire se dégagea doucement de Thomas et s'allongea sur le ventre.

Elle allait bien dormir.

Il avait dit « cet été » et « nous ». Janvier, février,

mars, avril, mai, juin. Pendant six mois au moins, ils ne se quitteraient pas. Elle se répétait « nous ». Thomas et elle, désormais, ce serait « nous ». Elle ferma les yeux. « Cet été, nous dînerons dehors, dans le jardin. » Il fait doux, une table et des chaises de jardin, en plastique blanc. Quatre chaises. La femme de Thomas sort de la cuisine.

Claire chercha l'interrupteur de la lampe de chevet. Elle ne devait plus penser à la femme de Thomas. Thomas n'avait pas de femme.

Elle se leva. Dans la salle de bains, elle trouverait sans doute un somnifère.

L'armoire à pharmacie contenait un tube d'aspirine, de l'alcool à 90° et du sparadrap. C'est tout. Claire sourit. Thomas ne prenait aucun médicament. Il n'était jamais malade.

Elle se recoucha près de lui et n'éteignit pas la lumière.

Elle le regarda dormir.

Elle décida de recommencer à prendre des consultations après sept heures. Elle travaillerait jusqu'à huit heures et demie et ensuite, elle retrouverait Thomas.

Elle lui donnerait un double de ses clefs. Ainsi il pourrait entrer et attendre chez elle le départ de son dernier patient.

Non, elle préférait qu'il sonne, pour aller lui ouvrir et l'embrasser sitôt la porte refermée. Comme avant.

Elle lui donna les clefs. C'était plus simple.

Dorénavant, elle fermerait à double tour le premier tiroir de son bureau.

Elle s'apprêtait à dîner chez elle avec Thomas lorsqu'elle entendit sonner le téléphone de son cabinet. Bien qu'elle ne fût pas de garde, elle se précipita. Il s'agissait sûrement d'une urgence. Le répondeur se déclencha avant qu'elle n'eût atteint l'appareil. Elle décrocha et coupa le répondeur. C'était une de ses patientes, Madame Corey. Elle appelait au sujet de son mari, il avait beaucoup de fièvre et elle s'inquiétait. Elle supplia Claire de venir, maintenant, elle n'habitait pas loin. Claire nota le code, l'étage et prépara sa trousse.
Elle expliqua à Thomas qu'elle rentrerait vite.
Il l'accompagna jusqu'à la porte. Il l'attendrait pour dîner.

Madame Corey guettait son arrivée. Claire la suivit dans un long couloir. Enfin, elles pénétrèrent dans la chambre. La pièce plut tout de suite à Claire. Elle se débarrassa de son manteau et s'approcha du grand lit. Malgré l'édredon et le chauffage, Monsieur Corey

99

grelottait. Elle avança la main pour prendre son pouls et, avant même de toucher son poignet, elle put sentir la chaleur de sa peau.

Son teint était jaune. Claire tira doucement sur la paupière inférieure et orienta sa lampe sur le blanc de l'œil et la muqueuse. Jaunes eux aussi. Elle remarqua qu'il avait de longs cils.

Elle écarta les pans de la veste de pyjama. Le tissu était doux, du pilou.

Il gémit lorsqu'elle lui palpa le foie.

Elle le questionna. Oui, il avait des nausées, depuis quelques jours. Oui, ses urines étaient très foncées, il s'en était aperçu ce soir.

Claire sortit son bloc d'ordonnance. Taux de transaminases, recherche de pigments biliaires, elle prescrivit plusieurs séries d'analyses. Pas de médicaments, juste un peu d'aspirine. C'était sûrement une hépatite virale.

Elle rangea ses instruments et regarda autour d'elle les murs tendus de tissu, les tapis, l'édredon rebondi.

Elle se tourna vers Madame Corey.

– Je vais rester un moment auprès de lui.

La femme la remercia, murmura qu'elle attendrait dans le salon. Et elle quitta la pièce.

Claire s'installa dans un fauteuil à côté du lit. Elle entendit du bruit dans le couloir. Des petits pas et des voix d'enfants. Deux enfants. Il y eut un chuchotement énervé. Une porte claqua.

Et puis plus rien.

Elle posa sa main sur le front du malade. Son visage se contractait, ses sourcils et ses cheveux venaient chatouiller les doigts de Claire au rythme de ses crispations.

Et ce fut comme si son front s'agrandissait. La racine de ses cheveux ne frôla plus le petit doigt de Claire et elle ne sentit plus contre son pouce la caresse des sourcils. Il s'était endormi.

Elle ne retira sa main que lorsqu'elle eut des fourmis dans le bras.

Il devait avoir quarante-cinq ans, une dizaine d'années de plus que sa femme. La transpiration qui trempait ses cheveux empêchait d'en discerner la couleur. Là, ils paraissaient presque noirs.

Il était grand. Pourquoi ne s'allongerait-elle pas près de lui pour voir s'il était beaucoup plus grand qu'elle? Mais elle ne bougea pas.

Quel était son prénom? Avant Corey, il fallait un long prénom, au moins trois syllabes. Philippe, Jean-François, Dominique? Elle commençait à s'assoupir. Elle ne pouvait pas rester. Mais elle était fatiguée, elle dormait si mal la nuit. Et puis cette chambre lui plaisait tant. Elle ferma les yeux.

Un craquement du parquet la réveilla. Elle se leva juste au moment où Madame Corey entrait. Claire la rassura. Tout irait bien.

Elle enfila son manteau, ramassa sa trousse et elles sortirent de la pièce.

101

Dès qu'elle fut dans l'ascenseur, elle déplia le chèque que lui avait donné Madame Corey. M. et Mme Jean-Philippe Corey. Quatre syllabes. Claire ne s'était pas trompée.
Elle rentra chez elle en courant. Ses instruments s'entrechoquaient dans son cartable.

De ses doigts, Claire effleurait l'épaule de Thomas. Sa peau était lisse. À travers du pilou, elle paraîtrait plus lisse encore.
Elle pensa à Monsieur Corey. Avec la fièvre, son corps chaufferait tellement le lit qu'au cours de la nuit, sa femme rejetterait sans doute le gros édredon.
Claire s'endormit.

Le samedi en fin d'après-midi, elle se rendit chez Thomas. Le trajet était court, vingt minutes de train. Elle emportait quelques vêtements qu'elle laisserait là-bas. Et du Lexomil, mais elle n'en aurait probablement pas besoin. Depuis deux ou trois nuits, elle dormait mieux. Elle appuya sa tête contre la vitre et se redressa aussitôt. Elle avait oublié de remettre à sa banque le chèque des Corey.

Oui, il était toujours dans son portefeuille, avec le polaroïd du tiroir. Elle sortit la photo et la contempla. Elle ne pouvait pas la garder. Thomas risquerait un jour de la trouver. Comment lui expliquerait-elle qu'elle conservait toutes les pochettes de ses préservatifs et qu'elle les avait photographiées? Et les sucres? On les distinguait bien, des petits rectangles blancs.

Elle regarda encore le cliché puis elle ouvrit la poubelle fixée à la paroi du wagon. Elle y déposa le polaroïd.

Elle le remplacerait bientôt par une vraie photo de Thomas. Et elle referma le couvercle.

La poussière blanche voletait et formait comme une brume.
Les meubles étaient recouverts de bâches.
Partout il y avait des gravats.
Thomas avait abattu le mur de sa cuisine.

Des gravats lui rentraient dans le dos et la bâche faisait du bruit mais les lèvres de Thomas avaient le goût du plâtre et Claire souriait contre sa bouche.

Ils retournèrent chez Claire le soir même. Thomas s'y installerait jusqu'à ce que sa maison soit déblayée.

Elle reçut les résultats des analyses de Monsieur Corey. Sa femme l'avait sans doute accompagné au laboratoire.

Le garrot au-dessus du coude, un tampon imbibé d'alcool à la saignée du bras. « Serrez le poing. Très bien. » L'aiguille s'approche de la veine. La peau est douce mais jaune. Sa femme se détourne, elle ne supporte certainement pas la vue du sang.

C'était une hépatite A, assez légère.

Au téléphone, Claire expliqua à Madame Corey qu'il n'y aurait pas de médicaments à prendre, ni de régime à suivre. Le malade doit se fier à son organisme, il n'aura jamais envie d'un aliment susceptible de lui faire du mal. Il lui fallait du repos, beaucoup de repos. Dans trois ou quatre semaines, elle le reverrait et il referait des analyses. Dès aujourd'hui, elle lui adresserait un arrêt de travail de deux mois.

Madame Corey l'interrompit. L'arrêt de travail serait inutile. Son mari exerçait une profession libérale, il était architecte.
Claire raccrocha.
Monsieur Corey était architecte, comme la femme de Thomas.
Mais Thomas n'avait pas de femme.

Il se levait beaucoup plus tôt qu'elle, sans utiliser le réveil.

Parfois, elle faisait semblant de dormir et elle l'observait.

Il se rasait, se lavait et s'habillait en moins d'un quart d'heure et il prenait vite son petit déjeuner.

Ensuite, il s'approchait du lit. Claire s'efforçait alors de demeurer immobile. Il restait un instant là, penché sur elle, elle sentait son souffle sur son visage, et puis il l'embrassait, légèrement, sur la joue. Un déplacement d'air, il s'était redressé. Et plus rien, il était parti.

Le soir, il rentrait rarement avant la fin des consultations.

De son bureau, de sa voiture ou de chez lui, il appelait Claire pour la prévenir de son arrivée et, bien qu'il eût les clefs, il sonnait. Ainsi, dès qu'elle lui ouvrait la porte, ils s'enlaçaient.

Il n'y avait plus de gravats, plus de housses et plus de poussière.

Thomas avait réaménagé sa cuisine et, à l'emplacement du mur, il avait construit un large bar sur lequel ils dîneraient ce soir pour la première fois.

Allongée sur le canapé, Claire le regardait préparer le repas, un plat hongrois avec de la choucroute. Il versa du vin blanc. Ça sentait bon. Elle reposa sa tête sur le coussin. Monsieur Corey ne supporterait pas cette odeur, il en aurait des nausées. En ce moment, sa femme épluchait sans doute des légumes pour lui faire un potage. Et tout à l'heure, à table, il soufflerait sur chaque cuillerée avant de la porter à sa bouche. Les enfants s'amuseraient à l'imiter. « Ça suffit maintenant, n'oubliez pas que Papa est malade. »

Claire se demanda soudain si Nicolas aimerait Thomas.

Sûrement.

Monsieur Corey lui téléphona pour prendre rendez-vous.

– Demain, seize heures?

– Parfait. Merci, docteur.

« Docteur », elle se rappelait le jour où Thomas l'avait ainsi interpellée. C'était dans la rue. « Docteur. » Et il avait couru pour la rejoindre.

Monsieur Corey, lui, avait dit « docteur » comme s'il parlait à un médecin plus âgé que lui. Lorsqu'elle était allée l'examiner, il avait tant de fièvre qu'il ne l'avait probablement pas vue. L'aurait-il vue qu'il ne s'en souviendrait pas.

Mais au téléphone, à son timbre et à son intonation, il aurait dû se rendre compte qu'elle était une jeune femme.

Elle prononça tout haut quelques phrases, n'importe quoi.

Sa voix était bien celle d'une femme jeune.

S'il l'avait appelée lui-même, il viendrait peut-être seul, sans sa femme.

Sur son carnet de rendez-vous, à la page du lendemain, à seize heures, Claire inscrivit : « J.-P. C. »

Ils se réveillèrent en même temps et prirent ensemble leur petit déjeuner.

Lorsque Thomas la serra dans ses bras, le peignoir de Claire s'entrouvrit. Le cuir du blouson était souple et tiède contre sa peau.

Elle se lava les cheveux, les sécha et enfila sa jupe courte et son chandail noir. Elle s'empara de son flacon d'eau de toilette. Il était presque plein. Thomas détestait les parfums. Elle l'approcha de son cou et se ravisa. Avec les hépatites, on ne sait jamais. L'odeur, même légère, pourrait incommoder Monsieur Corey.

Claire raccompagna sa patiente à la porte, puis elle se remaquilla.

111

Quatre heures moins dix. Il fallait cinq minutes pour venir à pied de chez les Corey. Monsieur Corey devait être encore très fatigué, il prévoirait sûrement dix minutes de trajet.

Là, il met sa canadienne, noue son écharpe et sort de son appartement. Il entre dans l'ascenseur. Sa femme le rattrape, elle lui tend ses gants. Il la remercie et l'embrasse. Que deviendrait-il sans elle?

L'air froid lui fait du bien. Il traverse la rue, tourne à gauche, continue tout droit. En passant devant la vitrine du traiteur, il grimace. La vue de la salade piémontaise lui donne la nausée. Et les arabesques de mayonnaise sur les demi-langoustes? Il détourne les yeux. Il s'arrête chez le marchand de journaux et achète son quotidien du soir. Il aura de la lecture si le médecin le fait attendre.

Claire se dirigea vers la porte d'entrée. Elle ne le ferait pas attendre, elle le recevrait tout de suite.

Quatre heures moins cinq. Il arrive sans doute à la hauteur de la palissade du chantier. C'était peut-être lui l'architecte de l'immeuble. Non, Thomas avait parlé d'un architecte italien.

Plus qu'une cinquantaine de mètres. Tout en marchant, il remonte son pantalon. Depuis le début de sa maladie, il a dû perdre quatre ou cinq kilos. Il essaiera de ne pas les reprendre.

Sous le porche, il hésite. Quel étage? Il cherche la plaque de cuivre. Troisième. Il appelle l'ascenseur.

112

Claire écouta les bruits de la cage d'escalier. Elle n'entendit rien.

Monsieur Corey sonna dix minutes plus tard.
Il ne portait pas de canadienne mais un manteau.
Un journal dépassait de sa poche.
Il était très grand, et très brun. Sa chemise à carreaux rouges et noirs semblait être en pilou.
Il lui sourit pendant qu'elle l'examinait. Il ne se souvenait pas d'elle mais il se rappelait la fraîcheur de sa main sur son front lorsqu'il s'était endormi.
Claire tira sur la paupière de Monsieur Corey et elle crut que son œil la regardait fixement. Elle braqua sa lampe.
Plus aucune trace de jaune.
Il se rhabilla et elle lui prescrivit une série d'analyses de contrôle.
Pouvait-il recommencer à travailler?
Elle préférait qu'il se repose encore au moins une quinzaine de jours. Elle insista, il devait être prudent. Et bien sûr, pas une goutte d'alcool.
« Très bien, docteur. » Cette fois, il avait dit « docteur » en souriant.
Il sortit son chéquier de sa poche et Claire entendit quelque chose tomber par terre.
Il ne s'en aperçut pas, et elle ne dit rien.
Sur le palier, il lui serra la main.
Claire retourna vite dans son cabinet. Qu'avait-il laissé tomber? Elle se pencha et trouva une pochette

d'allumettes. Sur le rabat, figurait le nom d'une brasserie.

Elle s'assit, appuya son menton sur ses paumes et resta ainsi, immobile

Enfin, elle s'étira. Son prochain patient ne tarderait pas à arriver.

Elle ouvrit le premier tiroir de son bureau et y plongea la main.

Les papiers dorés crépitaient sous ses doigts.

Elle sortit le tiroir du meuble et le posa sur ses genoux. Le petit clown du sucre de leur premier dîner lui souriait.

À présent, elle dînait tous les soirs avec Thomas et bientôt ils vivraient ensemble. Elle deviendrait sa femme. Et ils auraient des enfants.

Elle saisit le tiroir et l'inclina au-dessus de la corbeille à papiers. Elle l'inclina un peu plus, encore davantage, et les enveloppes dorées, les sucres, les douze roses séchées, le bouchon de champagne, les polaroïds, les cassettes du répondeur et la petite canne de golf en plastique jaune glissèrent sans bruit dans le sac poubelle.

Claire remit en place le tiroir vide et y déposa la pochette d'allumettes de Monsieur Corey. Puis elle le referma à clef.

Et elle sourit.

Composé et achevé d'imprimer
par l'Imprimerie Floch
à Mayenne, le 2 juillet 1993.
Dépôt légal : juillet 1993.
Numéro d'imprimeur : 34376.
ISBN 2-07-073588-5 / Imprimé en France.